KU-138-164

ALTIN
KİTAPLAR

YAYIN HAKLARI

© ÖZGE A. LOKMANHEKİM
ALTIN KİTAPLAR YAYINEVİ VE TİCARET AŞ

YAYIMA HAZIRLAYAN

HÜLYA ŞAT

KAPAK RESMİ VE RESİMLEYEN

GÖKÇEN EKE

KAPAK VE SAYFA TASARIMI

OSMAN SELÇUK ÖZDOĞAN

BASKI

1. BASIM / ARALIK 2015 / İSTANBUL
3. BASIM / HAZİRAN 2017 / İSTANBUL
ALTIN KİTAPLAR YAYINEVİ MATBAASI



ISBN 978 – 975 – 21 - 2075 - 4

ALTIN KİTAPLAR YAYINEVİ
Göztepe Mah. Kazım Karabekir Cad.
No: 32 Mahmutbey – Bağcılar / İstanbul
Matbaa ve Yayınevi Sertifika No: 10766

Tel.: 0.212.446 38 88 pbx
Faks: 0.212.446 38 90

http://www.altinkitaplar.com.tr
info@altinkitaplar.com.tr

Kemal'in
LONDRA
Günlüğü
Özge A. Lokmanhekim

ALTIN
KİTAPLAR

Tırtıl Kids Kitabevi'ne Kemal'in Şehir Günlükleri çocuk kitabı serisinin
yayımlanmasında gösterdiği destek için kalpten teşekkür ederim.

Küçük adamım, canım oğlum Kemal'e...

Merhaba arkadaşlar,
Adım Kemal. Ben de sizlerden biriyim aslında. Oyun oynamayı, kitap okumayı, en çok da ailemle gezilere çıkmayı severim. Sevmediğim şeyler yok mu? Elbette var, ama onları burada açıklamak istemiyorum. Zaten siz neler olduğunu tahmin edebiliyorsunuzdur. Artık bundan böyle gezip gördüğüm tüm şehirleri ve özelliklerini sizlerle paylaşmak istiyorum. Kim bilir belki sizler de aynı şehirleri gezer, anlattıklarımı anımsarsınız. Eğer böyle bir şeyi başarabilirsem inanın çok mutlu olurum. Şimdi sıra ilk seyahatimin tüm ayrıntılarını sizlerle paylaşmaya geldi.
Keyifli okumalar herkese...

Bu yılki sömestir tatilinde ailece Londra'ya gitme kararı almıştık. Ben, tahmin edersiniz ki çok heyecanlıydım. Yatağımda bir sağa bir sola dönsem de bir türlü uyuyamıyordum. Bugün annemle birlikte bavulumu yaptık. Hava yağmurlu olabilir diye şemsiyemi ve en sevdiğim mavi yağmurluğumu da bavula koyduk.

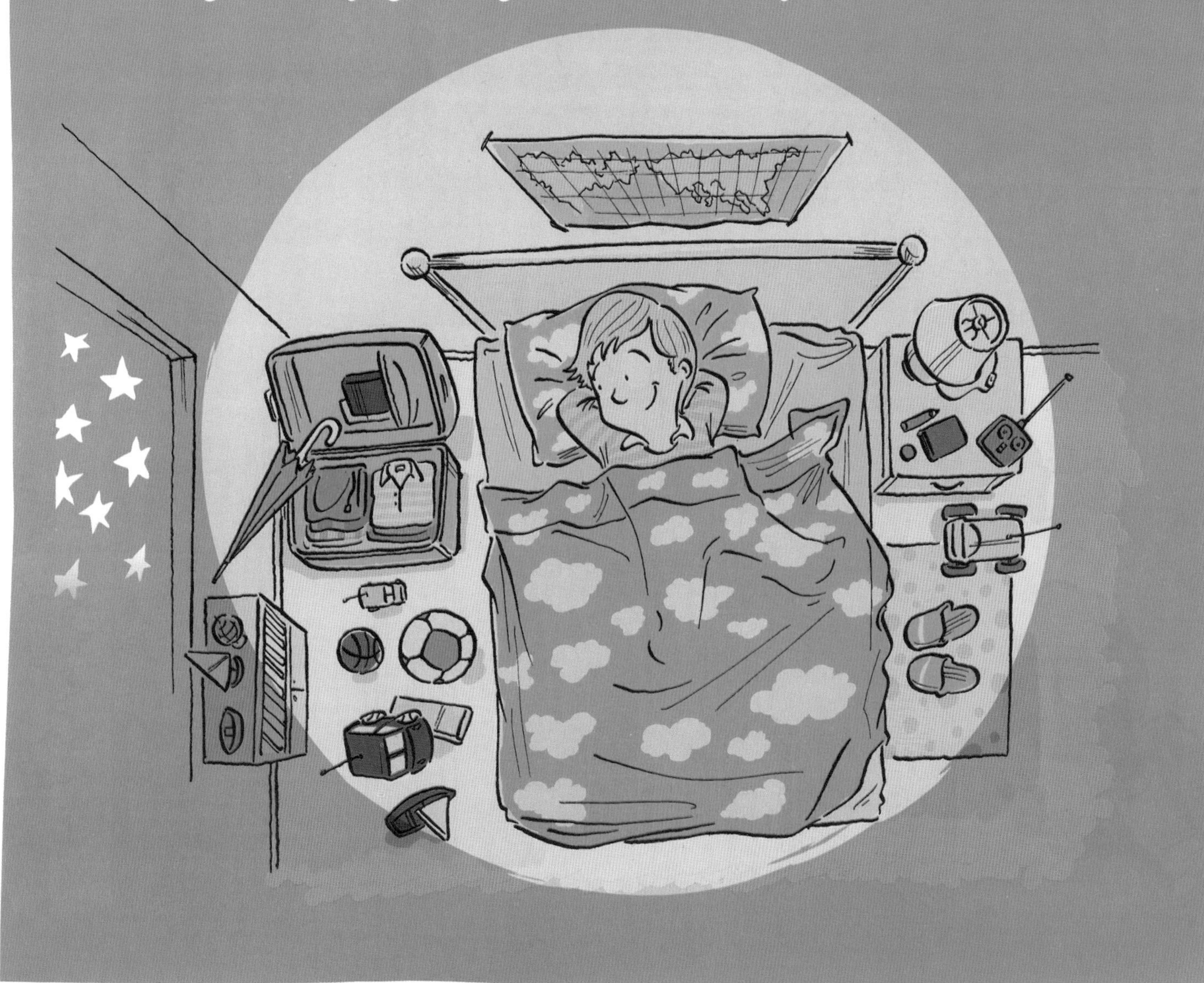

Sabah erkenden havaalanına gittik ve sonunda merakla beklediğim yolculuk başlamış oldu. Uçakta annemin bana aldığı Londra kitaplarına baktım ve haritayı inceledim. Babam, birlikte gideceğimiz yerleri işaretledi. Şaşırdım, ne çok gezilecek yer varmış Londra'da!

Londra'ya vardığımızda hava yağmurluydu. Öğrendiğim kadarıyla buralarda havalar hep böyleymiş. Durup düşündüm ve dört mevsimi de yaşayabildiğimiz için ülkemizin ne kadar da özel bir yer olduğunu daha iyi anladım.

Neyse, gelelim gezi programına... Bavullarımızı otele bırakıp iki katlı kırmızı otobüslerden birine binerek şehri dolaşmaya çıktık. Size bir şey söyleyeyim mi? Şu iki katlı otobüsler gerçekten harika. İnsan kendini havada gidiyor gibi hissediyor.

Londra, Birleşik Krallık'ın başkentidir.

Londra, Avrupa'nın en çok yağmur alan on şehrinden biridir. Yılın iki yüz gününden fazlası yağışlı geçiyor.

İki katlı kırmızı otobüsler 1930'lardan beri Londra sokaklarında hizmet veriyor.

Otobüsle kocaman bir saat kulesinin önünden geçerken, babam "İşte Big Ben." dedi. Gerçekten de söylendiği gibi kocaman bir şeydi. Acaba bu saat kulesi, İstanbul'un yedi tepesinden birinde olsa nasıl görünürdü, diye düşünüp kendi kendime gülümsedim. Sanırım Galata Kulesi'yle yarışırdı.

Otobüsten indikten sonra Westminster Sarayı ile Buckingham Sarayı arasında kalan St. James Park'tan geçtik. Böylece kraliyet ailesinin yaşadığı Buckingham Sarayı'nın önüne geldik. Burada bir sürü asker vardı.

Annem, "Tam zamanında geldik." dedi ve hemen askerlerin nöbet değişim törenini izlemeye başladık. Niye yalan söyleyeyim, askerlerin şapkaları bana çok komik göründü.

Buckingham Sarayı'nda 775 tane oda bulunuyor.

Askerlerin değişim seremonisi bahar ve yaz aylarında her gün, sonbahar ve kış aylarındaysa iki günde bir, saat 11.30'da gerçekleşmektedir.

Tören sonrasında tekrar kırmızı otobüse binerek dört tane kocaman bronz aslanın ve fıskiyeli havuzun olduğu bir meydana geldik. Babam elimdeki haritaya bakarak bana nerede olduğumuzu gösterdi. Bu meydanın adı Trafalgar'mış. Annem, efsaneye göre Amiral Nelson heykeli etrafındaki bronz aslanların Big Ben on üç defa çalarsa canlanacaklarını söyledi. Kendimi canlanmış aslanların arasında hayal edince tüylerim bir anda diken diken oldu.

Piccadilly Meydanı'ndan ayrılarak her iki tarafında mağazalar olan kocaman bir sokakta yürümeye başladık. Annem bu sokağın isminin Regent olduğunu söyledi. Hele bu sokakta Hamleys adında harika bir oyuncakçı mağazasına gideceğimizi söylediğinde sevinçten havalara uçtum. Hamleys dört katlı, çok büyük bir oyuncakçı mağazası. Her katta farklı oyuncaklar var. Buradan ayrılmayı hiç istemedim, ancak annem öğle yemeği saatinin geldiğini söyleyince kalmak için ısrar edemedim. Hamleys'ten bana Londra hatırası iki katlı kırmızı bir otobüs ile kuzenim Ayşe'ye hediye etmek için Paddington Ayısı aldık.

TOYS HAMLEYS TOYS

Paddington Ayısı, Michael Bond'un yazdığı ve Peggy Fortnum'un resimlediği çocuk kitaplarının başkarakteridir. İngiliz çocuk edebiyatında önemli bir yere sahip bu ayıcık kırmızı şapkası, mavi yağmurluğu ve elinden düşürmediği bavuluyla çocuklar tarafından çok sevilir.

Öğle yemeği saati geldiğinde karnım zil çalıyordu. Öyle acıkmıştım ki, şu sözünü ettikleri Covent Garden'a koşarak gidebilirdim. Neyse, tabii böyle bir şey yapamayacağım için Piccadilly Circus Metro İstasyonu'ndan metroya binerek Covent Garden durağında indik. Londra metrosu çok büyük, âdeta beş katlı bir pastaya benziyor.

Covent Garden ilginç bir yer. Bir kere hiç araba yok ve çok kalabalık. Annem bu meydanın araç trafiğine kapalı olduğunu söyledi. Müzisyenler ve sokak sanatçıları Noel günü hariç yılın her günü bu meydanda gösteri yapıyormuş. Tek tekerlekli bisiklete binerek kafasının üzerinde sürüyle bardak taşıyan bir adamı izledik. Sonra, birden yağmur bastırınca bir kafeye oturarak yemek siparişimizi verdik.

Kızarmış balık ve patates Londra'nın en popüler yemeklerinden biridir. Her yıl 300 milyondan fazla kişi bu yemeğin tadına bakıyor.

Sırada bir müze vardı. Madam Tussauds Müzesi'nde ünlü oyuncuların, sporcuların, müzisyenlerin, bilim insanlarının ve politikacıların balmumundan yapılmış heykellerini gördük. Heykeller o kadar gerçeğe benziyordu ki! Londra hatırası olsun diye ben de Kraliçe Elizabeth ile fotoğraf çektirdim ve kıpırdamamak için elimden geleni yaptım ama inanın çok zor... Madam Tussauds'tan sonra yorgunluktan bitmek üzere olduğumuz için otele döndük. Biraz olsun dinlenmeyi hak ettik değil mi?

Londra da geçireceğimiz ikinci gün erkenden kalktım, annem ve babamla otelin kahvaltı salonuna indim. Çoğu kişinin tabağında kuru fasulye yemeğini görünce çok şaşırdım. Babam bu hâlimi fark etmiş olacak ki, domates soslu kuru fasulye, sahanda yumurta ve bir çeşit pastırma olan Bacon'ın klasik İngiliz kahvaltısı olduğunu söyledi. Ben kuru fasulye yerine kızarmış ekmek ve krem peynir yemeyi tercih ettim. Sabah kahvaltısında kuru fasulye mi? Bu bir şaka olmalı!

Kahvaltıdan sonra hep birlikte St. Paul's Katedrali'ne gittik. Babamla birlikte basamakları sayarak (Toplam 259 basamak!) Fısıltı Galerisi'ne çıktık. Babam bir uca, ben de diğer bir uca gittik. Farklı yerlerde durduğumuz hâlde, duvara doğru fısıldadığında babamın sesini sanki yanımdaymış gibi rahatça duyabiliyordum. Fısıltı Galerisi çok eğlenceli ama bir o kadar da tehlikeli bir yermiş. Düşünsenize, fısıldasanız bile her yerden duyuluyor.

Sırada Londra Kalesi vardı. Kaleyi gördüğümde, "İnanamıyorum, şehrin ortasında kocaman bir kale!" diyerek koşmaya başladım.

Geçmişte kraliyet ailesine ev sahipliği yapmış olan Londra Kalesi, kraliyet zindanı olarak da kullanılmış.

Kulede 7 tane kuzgun yaşıyor. Bir efsaneye göre, kuzgunlar Londra Kalesi'nden uçup giderse İngiltere çökermiş. Kuzgunlar her gün çiğ et ve haftada bir yumurtayla besleniyor.

Londra Kalesi'ni Kırk Biftekyiyen unvanlı askerler korur. Bu ismi almalarının sebebi ilk başlarda maaş yerine ücretlerinin biftek olarak ödenmesiymiş.

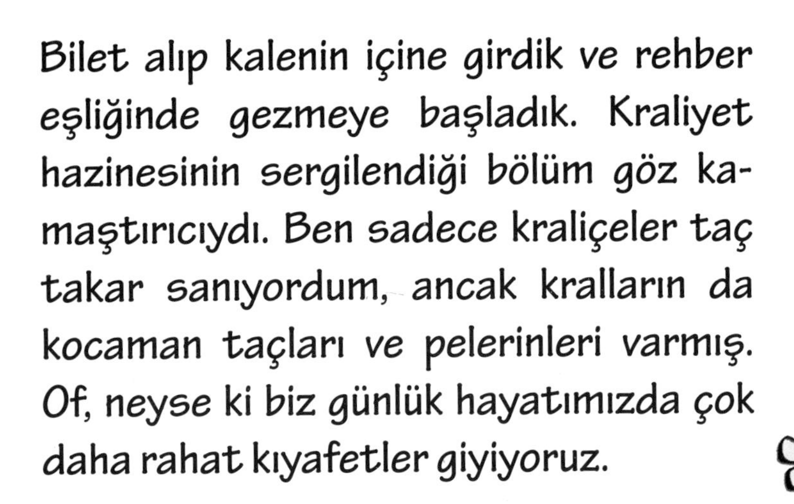

Bilet alıp kalenin içine girdik ve rehber eşliğinde gezmeye başladık. Kraliyet hazinesinin sergilendiği bölüm göz kamaştırıcıydı. Ben sadece kraliçeler taç takar sanıyordum, ancak kralların da kocaman taçları ve pelerinleri varmış. Of, neyse ki biz günlük hayatımızda çok daha rahat kıyafetler giyiyoruz.

Londra Kalesi'nden çıkıp tekrar otobüse bindik. Babam, "Bak, şimdi Londra'nın en ünlü köprülerinden birinin üzerinden geçeceğiz." dedi. Köprünün ortası zaman zaman kalkıyor ve altından kocaman gemiler geçiyormuş. Bu devasa yapıların tıpkı kapı gibi açılıp kapanması bana çok ilginç geliyor.

Londra'nın Gözü (London Eye) adlı dönme dolap 135 metre yüksekliğindedir. Her yıl yaklaşık 3,5 milyon kişinin bindiği dönme dolap 32 kabine sahiptir.

Otobüsten inip nehir kıyısında biraz yürüdük ve kocaman bir dönme dolabın önüne geldik. Annem ve babam ısrarıma daha fazla dayanamadılar ve hep birlikte dönme dolaba bindik. Yukarıdan tüm şehir küçücük görünüyordu. Big Ben bile!

Akşam olduğunda farklı bir heyecan içindeydim, çünkü ilk defa bir müzikal izleyecektim. Üstelik bu müzikali sadece çocuklar değil büyükler de izliyordu. Daha önce masal kitabını okuduğum "Aslan Kral" isimli müzikale gittik. İngilizce olduğu için her şarkıyı ve konuşulanları anlamasam da kıyafetlere ve danslara bayıldım!

Aslan Kral Müzikali 1999'dan beri sahneleniyor ve Londra da en çok izlenen müzikaller arasında yer alıyor.

Londra'ya gelmişken maça gitmemek olmazdı tabii... Babam önceden biletleri almış ve bize sürpriz yapmıştı. "Haydi, hep beraber futbolun beşiğinde maç izlemeye gidiyoruz!" dedi.

Annem, babam ve ben hep birlikte Chelsea-Arsenal maçına gittik. Burada maçlara ailece gidebiliyorsunuz, çok eğlenceli... Ben mavi rengini çok sevdiğim için Chelsea'yi destekledim. Annem, bugünün hatırası olarak bana bir futbol ürünleri mağazasından Chelsea forması ve atkısı aldı. Televizyondan izlediğim oyuncuları yakından görebileceğim için kendimi çok ayrıcalıklı hissettim.

Chelsea kulübünün logosunda olduğu gibi, maskotu da gücü simgeleyen Aslan'dır.

Chelsea ve Arsenal takımları arasında oynanan karşılaşmalar, çok çekişmeli geçer. Londra derbilerinden biridir.

Tatilimizin son gününde havanın güneşli olmasını fırsat bilerek hep birlikte Londra'nın en büyük parklarından biri olan Hyde Park'a gittik. Çimenlere oturduk, sandviçlerimizi yedik. Sonra babamla futbol oynadık. Anneme, "Tatilimiz bittiği için biraz üzgünüm, Londra'yı sevdim. Bir daha ne zaman geleceğiz?" diye sordum.
Annem de, "Belki bir dahaki tatilimizde görmediğin bambaşka bir şehri ziyaret ederiz, ne dersin?" dedi.
Bir dahaki tatilde bakalım nereye gideceğiz?..

# Neleri var?

KRALİYET AİLESİ
İngiltere, bir cumhuriyet olsa da hâlâ krallıkla yönetilmektedir.

İNGİLTERE
Birleşik Krallık; Galler, İngiltere, İskoçya ve Kuzey İrlanda olmak üzere dört devletten meydana geliyor.

ÇAY SAATİ
İngiltere'de çay, yanında sütle birlikte servis ediliyor.

POUND
Birleşik Krallık'ın para birimi Sterlin'dir.

JOHN NEWBURRY
John Newburry, İngiltere'de çocuk edebiyatının atası kabul ediliyor.

WILLIAM SHAKESPEARE
William Shakespeare, İngiltere tarihinin ünlü yazar, şair ve aktörlerinden biridir.

TAKSİ
Kırmızı telefon kulübeleri ve siyah taksiler ülkenin kültürel sembolleri arasında yer alıyor.

# Özge A. Lokmanhekim

İstanbul'da doğdu ve bu şehirde yaşıyor. Doğduğu günden beri şehrin her köşesini gezmek için sokakları arşınlıyor. İlk yurt dışı seyahatini on beş yaşında dil okulu için gittiği Londra, İngiltere'ye yaptı. O günden beri çok ülke, çok şehir gezdi. Gezdikçe yeni yerler kadar insanın kendini de keşfettiğine inananlardan. Seyahat notlarını ve fotoğraflarını paylaşmak için 2010'da seyahatperest.com isimli blogunu yazmaya başladı. Blogu dışında, pek çok dergide seyahat yazıları yazıyor. Anne olduktan sonra çok uzun süre severek yaptığı avukatlık mesleğine ara verdi. 2014 yılında sehrincocukhali.com sitesini kurdu. Amacı, çocuğuyla kaliteli vakit geçirmek isteyen ailelerin hayatını kolaylaştırmak. Halen *Milliyet Cumartesi*'de anne&çocuk köşesini yazıyor. Bugünlerde en büyük keyfi oğluyla seyahat etmek ve yeni yerler keşfetmek. Dünyayı çocukların gözünden görmenin inanılmaz olduğunu düşünüyor. Oğluyla birlikte gezdiği her şehir hakkında kitap yazmayı hayal ediyor.

# Gökçen Eke

1982 yılında Akşehir'de doğdu. 2005 yılında Mimar Sinan Güzel Sanatlar Üniversitesi Mimarlık Fakültesi Endüstri Ürünleri Tasarımı Bölümü'nden mezun oldu. İlk kişisel sergisini 1989'da açan Gökçen Eke, bugüne kadar kişisel olarak beş resim ve on dört karikatür sergisi açtı. Çizgileri birçok albümde, yayında ve karma sergide yer aldı. Afiş, illüstrasyon, kitap resimlemeleri, karakter çizimleri, oyuncak, cam, ambalaj, ürün ve mücevher tasarımları yaptı.

Türkiye'nin önde gelen firmalarında tasarımcı olarak çalıştı. Birçok büyük markayla ortak projelerde yer aldı. Yurt içinde ve yurt dışında katıldığı resim, karikatür ve tasarım yarışmalarında ödüller kazandı. Mayıs 2001'de "Akşehir Hatırası", Mart 2006'da "Gökçen Eke Karikatürler", Ocak 2012'de "Çizgisinde Aşk" ve Eylül 2014'te ise "Caricaturella Futbol" isimli dördüncü karikatür albümü yayımlandı.

Şu anda çalışmalarına ve yaşantısına İtalya'nın Padova kentinde devam etmektedir.

Kemal'in
BRÜKSEL
Günlüğü
Özge A. Lokmanhekim
Resimleyen: Gökçen Eke